J.-F. Mallet

SIMPLISSIME

LES COCOTTES LES + FACILES DU MONDE

hachette
CUISINE

MODE D'EMPLOI

Pour ce livre, je pars du principe que vous avez chez vous :
- L'eau courante
- Une cuisinière
- Un réfrigérateur
- Un four
- Un couteau (bien aiguisé)
- Du sel et du poivre
- De l'huile

(Si ce n'est pas le cas, c'est peut-être le moment d'investir !)

Et, bien sûr, l'ustensile incontournable : la cocotte !

Pour moi, la cuisson dans une cocotte signifie laisser mijoter les ingrédients pour en révéler toutes les saveurs. Les viandes, volailles et légumes sont parfaitement adaptés à cette cuisson prolongée, ce qui n'est pas le cas de tous les poissons.

Je vous conseille d'utiliser une cocotte en fonte de marque française car la fonte est un matériau solide et durable. Vous conserverez probablement votre cocotte toute votre vie (véritable investissement à long terme) ! La fonte est aussi une excellente conductrice de chaleur : la température monte progressivement et la chaleur se répartit uniformément. Elle convient également à tout type de cuisson : four, gaz, plaques électriques, induction...

Tous les plats en cocotte peuvent aller au four, bien que ce mode de cuisson soit particulièrement adapté aux pièces entières (rôti, canard...). Et il vaut mieux privilégier le feu lorsqu'il y a beaucoup de liquide, le temps de cuisson sera plus court !

Les recettes de cet ouvrage sont simplissimes à réaliser – pas de geste technique, de 4 à 6 ingrédients facilement trouvables, un temps de préparation réduit et peu de matériel. Il n'y a qu'à placer vos ingrédients dans la cocotte et à faire cuire à feu doux. Pensez à remuer de temps en temps et surveillez le niveau du liquide. S'il réduit trop, ajoutez un peu d'eau.

Sachez que la plupart des plats de ce livre peuvent se préparer la veille. Il suffit de les réchauffer juste avant de passer à table et de servir directement dans la cocotte.

Quels ingrédients sont indispensables ?

- **Les fruits et légumes :** veillez à utiliser des fruits et légumes de saison et de préférence – mais ce n'est pas obligatoire – bio (notamment pour les citrons dont on utilise les zestes).
- **Les herbes :** les herbes fraîches n'ont pas leur égal, ce sont elles qu'il faut privilégier ! En cas de grosse panne, vous pouvez toujours utiliser la version surgelée ou séchée (mais c'est moins bon).
- **Les épices et condiments de base :** du paprika, du cumin, du safran, du ras-el-hanout, du curry, du curcuma... Libre à vous aussi d'adapter en fonction de vos goûts.
- **Les conserves :** c'est toujours bien pratique d'avoir sous la main et dans son placard du lait de coco, des tomates concassées, des haricots rouges, de la tapenade et des olives.
- **Les surgelés :** même si on utilise essentiellement des produits frais, il est parfois plus simple d'acheter des produits surgelés tels que les petits pois et les fruits de mer.

Il ne me reste plus qu'à vous souhaiter de beaux moments en cuisine, mais surtout à table.

SOMMAIRE

ÉPAULE D'AGNEAU AUX POIVRONS

Épaule d'agneau
x 1 (désossée)

Poivrons multicolores
x 5

Bouquets garnis
x 2

Vinaigre balsamique
8 cuil. à soupe

 Sel, poivre

👤👤👤👤👤👤

🕐
Préparation : 5 min
Cuisson : 1h 15

• Préchauffez le four à 200°C.

• Coupez les **poivrons** en gros morceaux. Mettez l'ensemble des ingrédients dans une cocotte en fonte avec 30 cl d'eau. Salez, poivrez, placez la cocotte dans le four avec le couvercle et faites cuire 1h 15.

• Dégustez avec de la semoule.

POTÉE AU CHOU ROUGE

Saucisse de Morteau
x 1

Chou rouge
x ½

Bouquets garnis
x 3

Vin rouge
1 bouteille

 Sel, poivre

Préparation : 5 min
Cuisson : 1h

• Coupez le **chou rouge** en gros morceaux.
• Mettez tous les ingrédients dans une cocotte en fonte avec 30 cl d'eau. Faites cuire à couvert 1h à feu doux. Salez, poivrez.
• Tranchez la **saucisse** et servez dans la cocotte.

BŒUF AUX CAROTTES À LA BIÈRE

Bœuf à braiser
1,2 kg

Carottes
x 6 (grosses)

Bouquets garnis
x 2

Bière
1 l

Curcuma
1 cuil. à soupe

 **Sel, poivre**

👤👤👤👤👤👤

🕐
Préparation : 5 min
Cuisson : 2 h

- Épluchez et coupez les **carottes** en rondelles.
- Mettez tous les ingrédients dans une cocotte en fonte. Faites cuire à couvert 2 h à feu doux à partir de l'ébullition.
- Salez, poivrez et dégustez avec des pommes de terre à l'eau.

SOURIS D'AGNEAU AU MIEL

Souris d'agneau
x 4

Sauce soja
8 cuil. à soupe

Abricots secs
x 10

Miel
6 cuil. à soupe

Thym
4 branches

Sel, poivre

👥👥👥👥

Préparation : 5 min
Cuisson : 1 h 15

- Mettez tous les ingrédients dans une cocotte en fonte avec 50 cl d'eau. Portez à ébullition puis baissez le feu. Laissez cuire 1 h 15 à couvert et à feu doux, en arrosant de temps en temps.
- Salez, poivrez et dégustez avec une purée de pommes de terre.

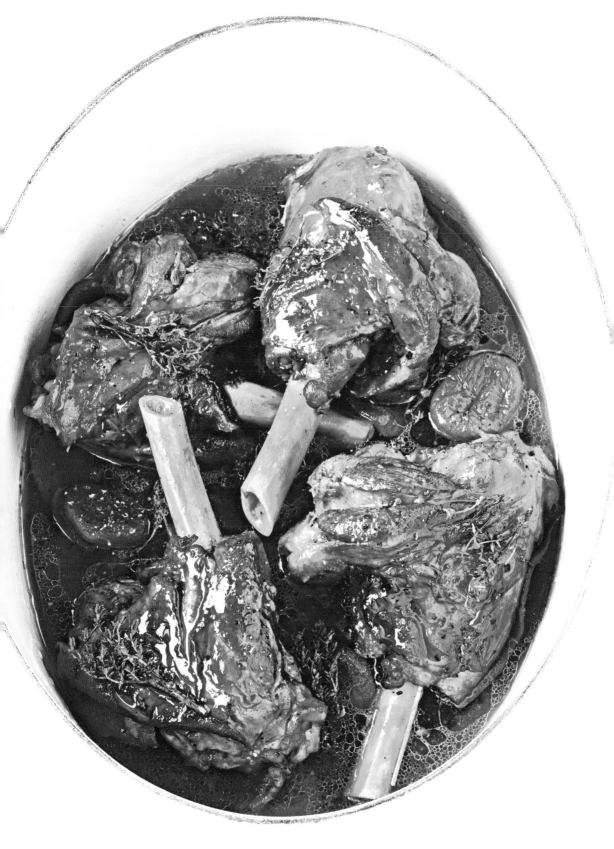

CANARD AU GINGEMBRE ET CAROTTES

Cuisses de canard
x 4

Carottes
x 8 (grosses)

Gingembre
80 g

Estragon
1 botte

Sel, poivre

Préparation : 10 min
Cuisson : 1 h 30

- Épluchez et émincez le **gingembre**. Épluchez et coupez les **carottes** en rondelles.
- Placez les **cuisses de canard**, les **carottes** et le **gingembre** dans une cocotte en fonte. Ajoutez 1,5 l d'eau, salez, poivrez et laissez cuire à partir de l'ébullition 1 h 30 à feu doux et à couvert
- Ajoutez les feuilles d'**estragon** et dégustez avec des pommes de terre à l'eau.

LAPIN À LA PROVENÇALE

Lapin entier
x 1 (en morceaux)

Tomates concassées
1 boîte (800 g)

Olives noires
100 g (à la grecque)

Ail
10 gousses (non épluchées)

Origan
2 cuil. à soupe

Préparation : 5 min
Cuisson : 1h

• Mettez tous les ingrédients dans une cocotte en fonte avec 30 cl d'eau. Faites cuire à couvert 1h à feu doux à partir de l'ébullition.
• Dégustez avec des pâtes.

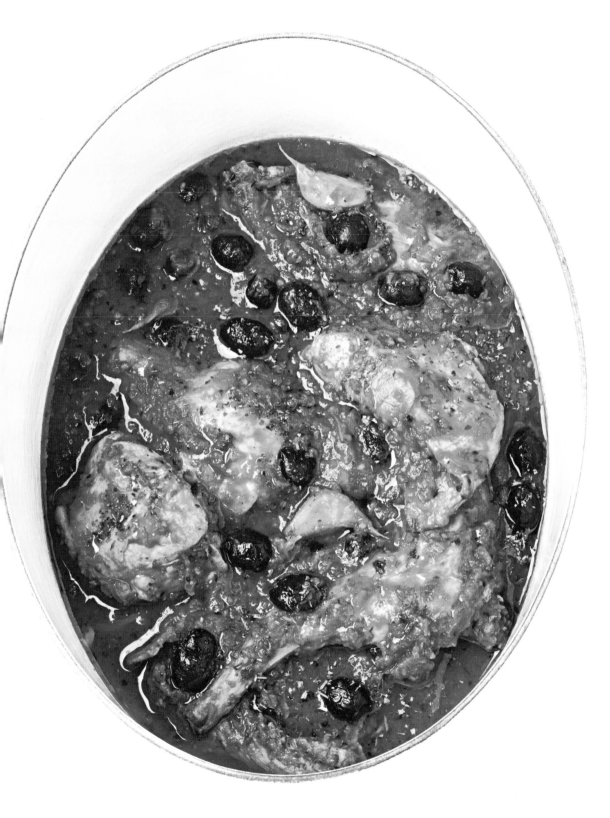

PINTADE AUX CHOUX DE BRUXELLES

Pintade
4 cuisses

Jambon cru
4 tranches fines

Choux de Bruxelles
700 g

Thym
5 branches

 Poivre

👤👤👤👤

🕐

Préparation : 5 min
Cuisson : 45 min

- Enveloppez chaque cuisse de **pintade** avec une tranche de **jambon cru**.
- Mettez-les dans une cocotte en fonte avec les **choux de Bruxelles**, le **thym** et 60 cl d'eau.
- Faites cuire à couvert 45 min à feu doux à partir de l'ébullition. Poivrez et dégustez.

CHOUCROUTE À LA SAUCISSE

Saucisses de Toulouse
x 2 (grosses)

Choucroute cuite
800 g

Lard fumé
2 tranches épaisses

Cumin
4 cuil. à soupe

Vin blanc
½ bouteille

Préparation : 5 min
Cuisson : 45 min

• Mettez tous les ingrédients dans une cocotte en fonte. Faites cuire à couvert 45 min à feu doux, en remuant de temps en temps la **choucroute**. Dégustez.

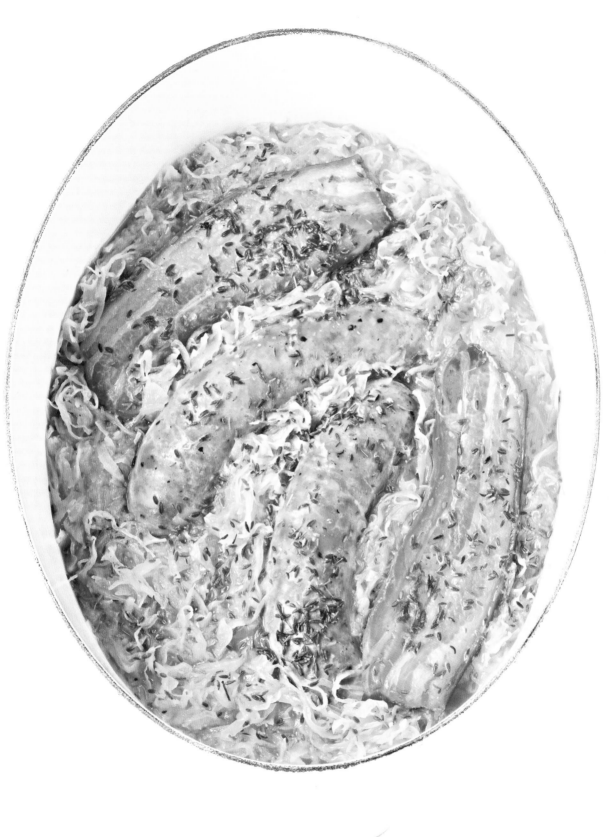

VEAU AUX ASPERGES ET CITRONNELLE

Sauté de veau
1,2 kg

Citronnelle
2 tiges

Bouillon de volaille
1 tablette

Asperges vertes
1 botte

 Sel, poivre

1 filet d'huile d'olive

👨👨👨👨👨👨

🕐

Préparation : 5 min
Cuisson : 1 h 20

• Mettez les tiges de **citronnelle** fendues en 4, le **veau**, la tablette de **bouillon** et 1,2 l d'eau dans une cocotte en fonte. Laissez cuire 1 h 15 à partir de l'ébullition à feu doux, en remuant de temps en temps.

• Ajoutez les **asperges** en morceaux et faites cuire 5 min de plus. Salez, poivrez et ajoutez un filet d'**huile d'olive**. Dégustez avec des pâtes.

POT-AU-FEU DE CANARD

Cuisses de canard
x 4

Navets boule d'or
x 6

Sauge
1 botte

Betteraves
x 2 (crues ou cuites)

 **Sel, poivre**

♟♟♟♟

⏱

Préparation : 10 min
Cuisson : 2 h

- Épluchez et coupez en gros morceaux les **navets** et les **betteraves**.
- Mettez tous les ingrédients dans une cocotte en fonte avec 2 l d'eau. Faites cuire à couvert à partir de l'ébullition 2 h à feu doux.
- Salez, poivrez et dégustez avec des pommes de terre à l'eau.

POTÉE AU CHOU

Jarret demi-sel
x 1 (1,2 kg)

Chou vert frisé
x ½

Carottes
x 4

Pommes de terre
x 6 (moyennes)

Lard fumé
2 tranches épaisses

Bouquets garnis
x 2

 **Poivre**

👤👤👤👤👤👤

🕐
Préparation : 10 min
Dessalage : 2 h
Cuisson : 2 h

- Placez le **jarret** dans de l'eau froide pendant 2 h, en changeant l'eau toutes les 30 min.
- Mettez le **jarret**, le **chou** coupé en gros morceaux, le **lard**, les **bouquets garnis** et 1,5 l d'eau dans une cocotte en fonte. Faites cuire à couvert 1 h à feu doux à partir de l'ébullition.
- Ajoutez les **carottes** et les **pommes de terre** épluchées et faites cuire 1 h de plus à feu doux.

BŒUF COCO-CITRONNELLE

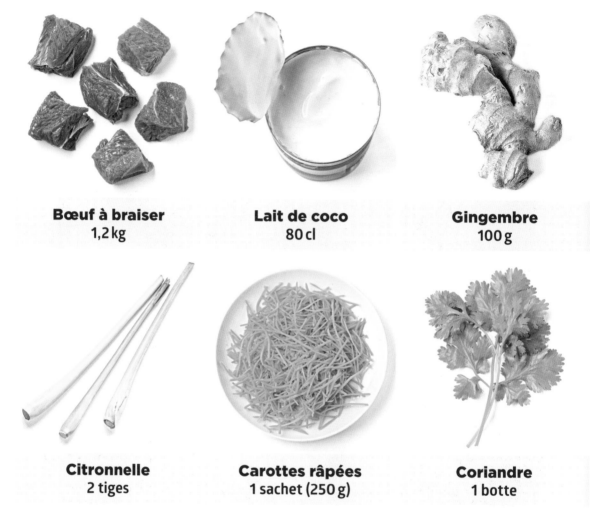

Bœuf à braiser
1,2 kg

Lait de coco
80 cl

Gingembre
100 g

Citronnelle
2 tiges

Carottes râpées
1 sachet (250 g)

Coriandre
1 botte

Sel, poivre

Préparation : 10 min
Cuisson : 1 h 55

• Fendez et émincez la **citronnelle**. Épluchez et émincez le **gingembre**.

• Mettez le **bœuf**, le **lait de coco**, le **gingembre**, la **citronnelle** et 20 cl d'eau dans une cocotte. Laissez mijoter à partir de l'ébullition à couvert 1 h 45 à feu doux. Ajoutez les **carottes** et faites cuire 10 min de plus. Ajoutez la **coriandre**, salez, poivrez et dégustez tiède avec du riz.

SOURIS D'AGNEAU À L'ORANGE

Souris d'agneau
x 4

Jus d'orange
50 cl

Romarin
1 botte

Orange
x 1

Porto rouge
50 cl

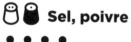 **Sel, poivre**

👤👤👤👤

🕐

Préparation : 5 min
Cuisson : 1 h 15

• Coupez l'**orange** en morceaux avec la peau.
• Mettez tous les ingrédients dans une cocotte en fonte. Faites cuire à couvert 1 h 15 à partir de l'ébullition à feu doux, en arrosant de temps en temps.
• Salez, poivrez et dégustez avec de la semoule.

PORC À LA BIÈRE, POMMES ET CUMIN

Sauté de porc
900 g

Bière
50 cl

Pommes
x 4

Cumin
1 cuil. à soupe

 Sel, poivre

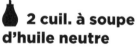 **2 cuil. à soupe d'huile neutre**

👤👤👤👤

⊘

Préparation : 5 min
Cuisson : 1h 30

• Chauffez l'**huile** dans une cocotte en fonte et faites colorer le **porc**. Versez la **bière**. Baissez le feu et laissez mijoter à couvert 1h à feu doux à partir de l'ébullition.

• Ajoutez les **pommes** épluchées et coupées en cubes et faites cuire 30 min de plus.

• Salez, poivrez, ajoutez le **cumin** et servez dans la cocotte. Dégustez avec des pâtes.

CANETTE À L'ORANGE

Canette de Barbarie
x 1

Jus d'orange
20 cl

Sauce soja
6 cuil. à soupe

Orange
x 1

Bouquets garnis
x 2

Miel
5 cuil. à soupe

Sel, poivre

Préparation : 10 min
Cuisson : 2 h

• Préchauffez le four à 180°C.

• Placez la **canette** dans une cocotte. Posez les tranches d'**orange** sur la **canette**. Mélangez la **sauce soja**, le **miel** et le **jus d'orange**. Versez dans la cocotte. Ajoutez les **bouquets garnis**. Salez et poivrez.

• Enfournez 2 h avec le couvercle. Servez la **canette** en morceaux avec la sauce.

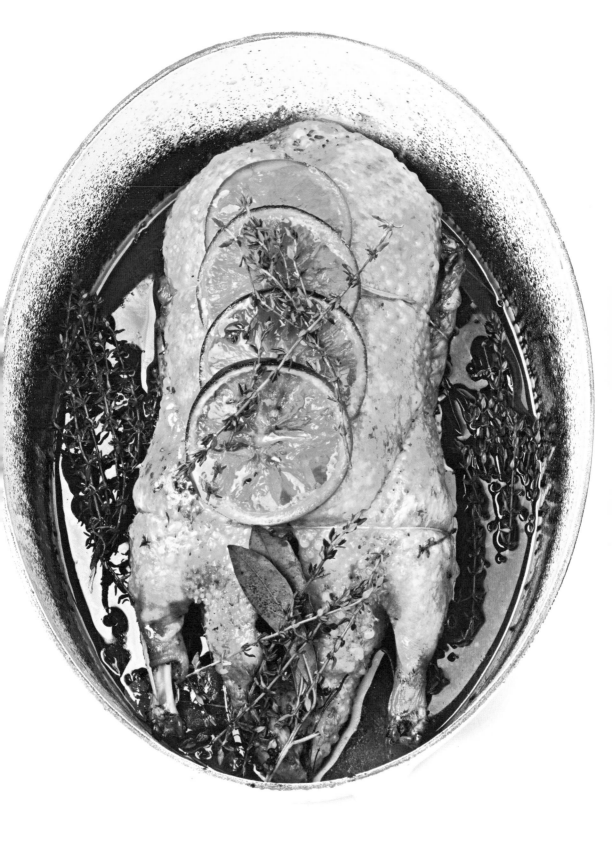

VEAU AUX ARTICHAUTS

Sauté de veau
1,2 kg

Artichauts poivrade
1 botte

Vin rosé
½ bouteille

Coulis de tomate
50 cl

Parmesan
2 cuil. à soupe

 **Sel, poivre**

👥👥👥 (6)

🕐

Préparation : 10 min
Cuisson : 1h 15

- Coupez les **artichauts** en 4. Coupez les queues à mi-hauteur et épluchez-les. Retirez les premières feuilles et coupez les pointes.
- Mettez tous les ingrédients dans une cocotte. Laissez mijoter à couvert 1h 15 à feu doux à partir de l'ébullition.
- Salez, poivrez, ajoutez le **parmesan** et dégustez avec des pâtes.

RÔTI DE PORC AUX POMMES DE TERRE

Rôti de porc
x 1 (1 kg)

Pommes de terre
1,2 kg

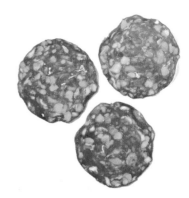

Chorizo
6 tranches

Ail
4 gousses (non épluchées)

Bouquets garnis
x 2

Lait
1 l

 **Sel, poivre**

👥👥👥

🕐
Préparation : 10 min
Cuisson : 1 h 45

- Préchauffez le four à 200 °C.
- Épluchez et coupez en rondelles les **pommes de terre**. Mettez-les dans une cocotte en fonte avec le **rôti de porc**, les tranches de **chorizo**, le **lait**, l'**ail** et les **bouquets garnis**. Salez, poivrez.
- Enfournez la cocotte 1 h 30 avec le couvercle puis 15 min sans couvercle.

VEAU AUX OLIVES ET AUX AUBERGINES

Sauté de veau
1,2 kg

Aubergines
x 2

Tomates concassées
1 boîte (800 g)

Olives vertes
160 g (dénoyautées)

🧂 **Sel, poivre**

👤👤👤👤👤👤

🕐

Préparation : 5 min
Cuisson : 1 h 30

• Coupez les **aubergines** en morceaux.

• Mettez tous les ingrédients dans une cocotte en fonte avec 50 cl d'eau. Portez à ébullition puis baissez le feu. Laissez cuire 1 h 30 à feu doux en remuant de temps en temps.

• Salez, poivrez et dégustez avec des pâtes.

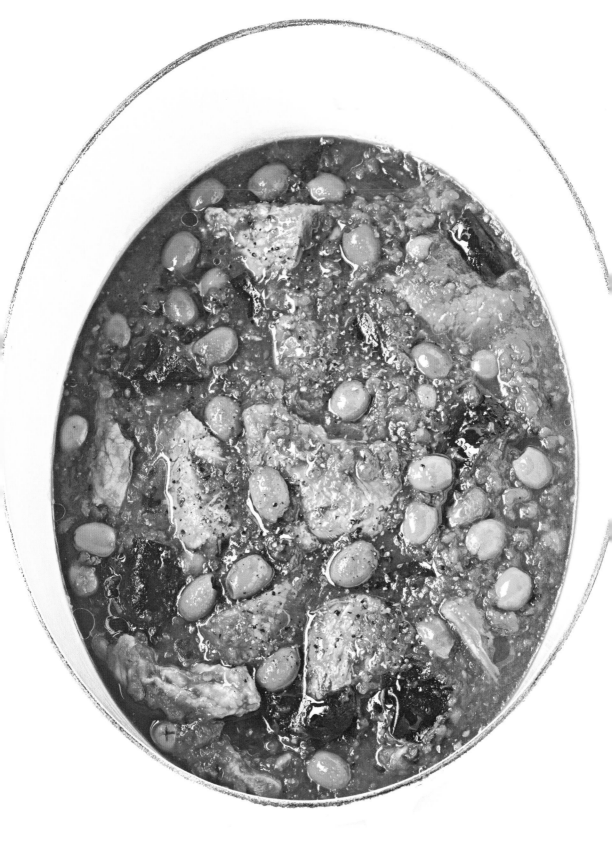

BORTSCH DE POULET

Chou vert frisé
x ½

Betterave cuite
x 1 (grosse)

Blancs de poulet
x 4

Carottes
x 4 (moyennes)

Navets
x 4 (petits)

 **Sel, poivre**

👤👤👤👤

🕐

Préparation : 10 min
Cuisson : 1 h

• Découpez le **chou** en gros morceaux. Coupez la **betterave** en 4, épluchez les **carottes** et les **navets**. Mettez tous les ingrédients dans une cocotte en fonte avec 1,5 l d'eau, salez, poivrez et faites cuire à feu doux et à couvert pendant 1 h à partir de l'ébullition.

• Servez directement dans la cocotte.

CHIPOLATAS AUX COURGETTES

| Chipolatas x 8 | Courgettes x 2 | Tomates cerise 1 barquette (250 g) |

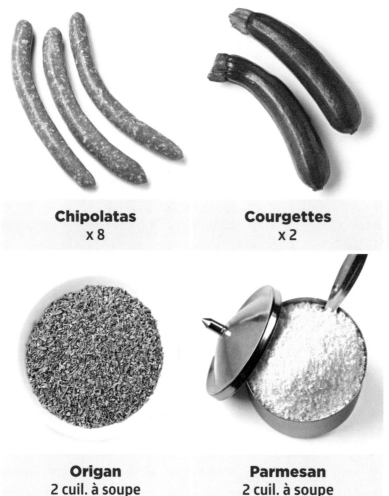

| Origan 2 cuil. à soupe | Parmesan 2 cuil. à soupe |

Préparation : 5 min
Cuisson : 30 min

- Coupez les **chipolatas** et les **courgettes** en morceaux.
- Mettez-les dans une cocotte en fonte avec les **tomates cerise** coupées en 2, l'**origan** et 10 cl d'eau. Faites cuire à couvert 30 min à feu doux puis saupoudrez de **parmesan**.
- Dégustez avec de la semoule.

CAILLES AUX PETITS POIS ET RADIS

Cailles
x 4

Petits pois
600 g (frais ou surgelés)

Lard fumé
2 tranches épaisses

Radis
1 botte

Oignon doux
x 1

Bouquet garni
x 1

Sel, poivre

2 cuil. à soupe d'huile neutre

Préparation : 5 min
Cuisson : 30 min

• Faites revenir les **cailles** dans une cocotte en fonte avec 2 cuil. à soupe d'**huile** pendant 5 min. Coupez le **lard** en gros morceaux. Enlevez les fanes des **radis**. Émincez l'**oignon** épluché.
• Ajoutez le **lard**, les **petits pois**, l'**oignon**, le **bouquet garni** et les **radis** dans la cocotte avec 20 cl d'eau. Salez, poivrez. Faites cuire à couvert 25 min à feu doux.

BOULETTES SAUCE TOMATE

Petits pois
300 g (surgelés)

Tomates concassées
1 boîte (800 g)

Basilic
2 bottes

Chair à saucisse
600 g

Citrons
x 3

 Sel, poivre

 1 filet d'huile d'olive

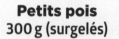

Préparation : 10 min
Cuisson : 20 min

• Mélangez la **chair à saucisse** avec les zestes des **citrons** et la moitié du basilic. Formez 4 grosses boulettes.

• Déposez dans une cocotte les boulettes, le jus des **citrons**, les **tomates** et les **petits pois**. Laissez cuire 20 min à feu doux à couvert.

• Salez, poivrez, ajoutez le **basilic** restant et un filet d'**huile d'olive**. Dégustez avec des pâtes.

JOUES DE PORC AUX CAROTTES

| **Joues de porc**
x 12 (120 g chacune) | **Carottes**
1 kg | **Porto rouge**
40 cl |

| **Vin liquoreux**
½ bouteille | **Romarin**
2 branches |

 Sel, poivre

⊘

Préparation : 10 min
Cuisson : 2 h

- Préchauffez le four à 180°C.
- Épluchez et coupez les **carottes** en morceaux.
- Mettez tous les ingrédients et 20 cl d'eau dans une cocotte en fonte. Salez, poivrez, placez la cocotte dans le four avec le couvercle et faites cuire 2 h.

POULET RÔTI EN COCOTTE AU ROMARIN

Poulet
x 1

Lard fumé
2 tranches épaisses

Pommes de terre
600 g (grenaille)

Romarin
3 branches

Ail
10 gousses (non épluchées)

Huile neutre
4 cuil. à soupe

 **Sel, poivre**

👤👤👤👤

🕐

Préparation : 5 min
Cuisson : 1 h

• Préchauffez le four à 200°C.

• Mettez tous les ingrédients dans une cocotte en fonte. Salez, poivrez et enfournez 1 h avec le couvercle.

• Déglacez avec 10 cl d'eau et servez.

PORC AUX CHAMPIGNONS

Échine de porc
1 kg

Girolles
300 g

Sauce soja
8 cuil. à soupe

Chanterelles
200 g

Sirop d'érable
3 cuil. à soupe

Bouquets garnis
x 2

 Sel, poivre

Préparation : 5 min
Cuisson : 1h10
Marinade : 1h

• Coupez l'**échine de porc** en 2 morceaux. Faites-les mariner 1h avec le **sirop d'érable**, la **sauce soja** et les **bouquets garnis**.

• Placez le **porc** et la marinade dans une cocotte avec 30 cl d'eau. Faites cuire à couvert 1h à feu doux à partir de l'ébullition.

• Ajoutez les **champignons** et faites cuire 10 min Salez, poivrez et dégustez avec une purée.

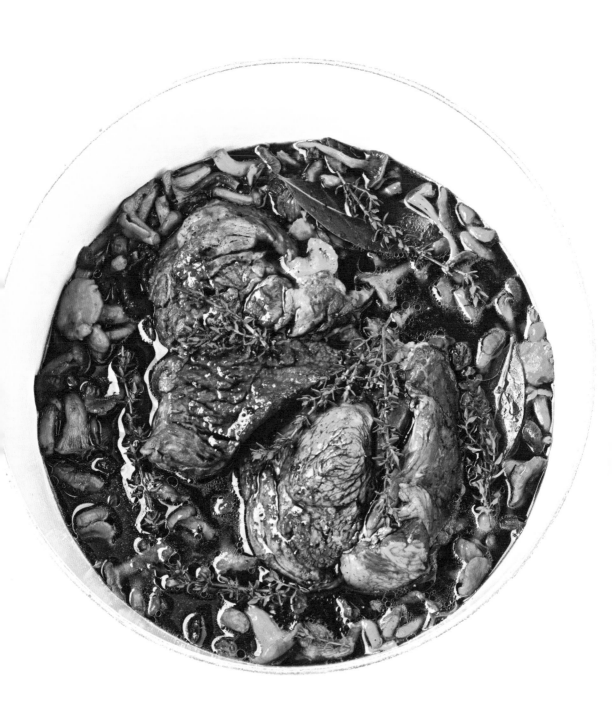

CURRY D'AGNEAU À LA MENTHE

Sauté d'agneau
1,2 kg

Lait de coco
50 cl

Menthe
1 botte

Petits pois
600 g (surgelés)

Curry
4 cuil. à soupe

 **Sel, poivre**

✶✶✶✶✶✶

⏱

Préparation : 5 min
Cuisson : 1 h 25

• Mettez l'**agneau**, le **lait de coco** et le **curry** dans une cocotte en fonte. Mélangez et ajoutez 20 cl d'eau. Faites cuire à couvert 1 h 20 à feu doux à partir de l'ébullition, en remuant de temps en temps. Ajoutez les **petits pois**, faites cuire 5 min de plus.

• Ajoutez les feuilles de **menthe**, salez, poivrez et dégustez.

PETIT SALÉ AUX LENTILLES

Travers de porc
(demi-sel) x 1 (1,2 kg)

Lentilles vertes
500 g

Poitrine de porc
(demi-sel) 900 g

Bouquets garnis
x 2

Bouillon de volaille
1 tablette

 Poivre

♟ Poivre

🏃🏃🏃🏃🏃🏃

⏱

Préparation : 5 min
Cuisson : 2 h
Dessalage : 2 h

• Placez la **viande** coupée en morceaux dans de l'eau froide 2 h en changeant l'eau toutes les 30 min.

• Mettez la **viande** dans une cocotte avec les **bouquets garnis**, la tablette de **bouillon** et 2 l d'eau. Faites cuire à couvert 1 h 15 à feu doux à partir de l'ébullition. Ajoutez les **lentilles** et faites cuire à couvert 45 min à feu doux. Poivrez.

PINTADE AUX ASPERGES AU SAUTERNES

Pintade
4 cuisses

Asperges vertes
1 botte

Crème liquide
60 cl

Sauternes
1 bouteille

 Sel, poivre

Préparation : 5 min
Cuisson : 1 h 20

• Mettez les cuisses de **pintade** dans une cocotte en fonte et ajoutez la **crème** et le **vin**. Laissez mijoter à couvert 1 h 15 à partir de l'ébullition à feu doux.

• Ajoutez les **asperges** équeutées et coupées en 2. Faites cuire 5 min de plus. Salez, poivrez et dégustez avec du riz.

POULET-CHAMPIGNONS AU VIN ROUGE

Poulet
4 cuisses

Vin rouge
1 bouteille

Champignons de Paris
500 g

Lard fumé
2 tranches épaisses

Bouquets garnis
x 2

Ail
5 gousses (non épluchées)

 Poivre

👤👤👤👤

🕐

Préparation : 10 min
Marinade : 3 h
Cuisson : 45 min

• Faites mariner le **poulet** 3 h dans le **vin rouge** avec les **bouquets garnis**.

• Mettez les **cuisses** dans une cocotte en fonte avec la marinade. Ajoutez les **champignons** coupés en 4, le **lard** coupé en gros morceaux, les gousses d'**ail** et 5 cl d'eau. Laissez mijoter à couvert 45 min à feu doux, à partir de l'ébullition.

• Poivrez et dégustez avec des pâtes.

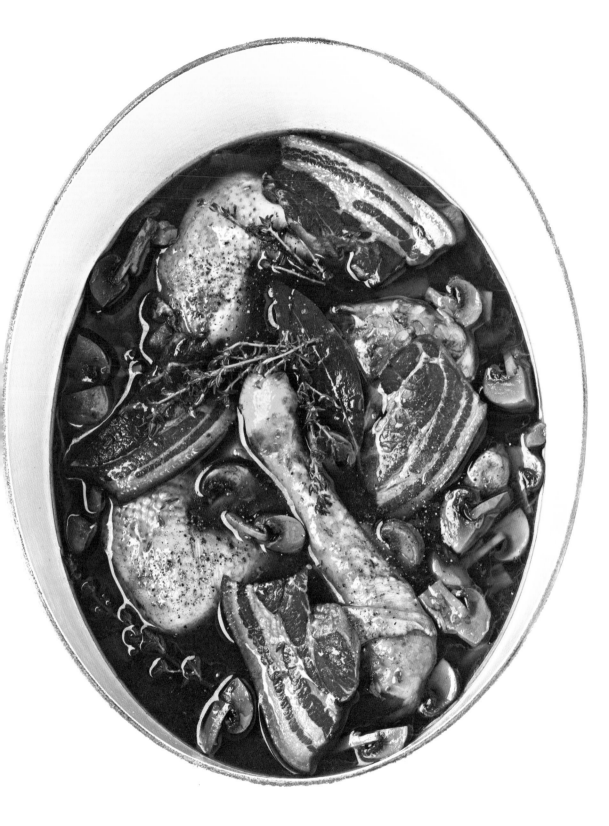

CHILI AUX MERGUEZ

Haricots rouges
2 boîtes (400 g chacune)

Merguez
x 8

Tomates concassées
1 boîte (800 g)

Maïs
1 boîte (150 g)

Paprika
4 cuil. à soupe

 Sel, poivre

👤👤👤👤

🕐

Préparation : 5 min
Cuisson : 25 min

• Coupez les **merguez** en morceaux.
• Mettez tous les ingrédients dans une cocotte en fonte. Laissez cuire 25 min à feu doux, en remuant de temps en temps.
• Salez, poivrez et dégustez avec du riz.

COQUELETS À LA TRUFFE

Coquelets
x 2

Huile de truffe
3 cuil. à soupe

Truffe fraîche
40 g

Bouillon de volaille
20 cl

Beurre
50 g

 **Sel, poivre**

Préparation : 15 min
Cuisson : 45 min

• Glissez quelques lamelles de **truffe** sous la peau des **coquelets**. Colorez-les avec le **beurre** dans une cocotte, salez, poivrez et laissez cuire 20 min en arrosant de temps en temps.

• Ajoutez le **bouillon**, laissez cuire 25 min à couvert et à feu doux. Stoppez le feu, ajoutez l'**huile**, le reste des lamelles de **truffe**. Salez, poivrez et dégustez avec une purée.

LAPIN AU CIDRE ET AUX PRUNEAUX

Lapin
4 cuisses

Cidre brut
1 bouteille

Bouquets garnis
x 2

Pruneaux
x 20

 Sel, poivre

Préparation : 5 min
Cuisson : 1h

• Mettez tous les ingrédients dans une cocotte en fonte. Faites cuire à couvert 1h à feu doux à partir de l'ébullition.

• Salez, poivrez et dégustez avec des pâtes.

TRAVERS AUX OLIVES ET AUX TOMATES

Travers de porc
1,5 kg

Tomates concassées
1 boîte (800 g)

Olives noires
150 g (dénoyautées)

Romarin
4 branches

  Sel, poivre

Préparation : 10 min
Cuisson : 2 h

- Coupez les **travers de porc** en morceaux et mettez-les dans une cocotte en fonte.
- Ajoutez les **tomates**, les **olives**, le **romarin** et 50 cl d'eau. Faites cuire à couvert 2 h à partir de l'ébullition à feu doux. Ajoutez un peu d'eau en cours de cuisson si la sauce réduit trop.
- Salez, poivrez et dégustez avec des pâtes.

BŒUF AUX ANCHOIS

Bœuf à braiser
1,2 kg

Vin rouge
1 bouteille

Bouquets garnis
x 2

Filets d'anchois à l'huile
1 boîte (50 g)

 Poivre

Préparation : 5 min
Marinade : 1 h
Cuisson : 2 h

• Mélangez le **bœuf**, le **vin rouge** et les **bouquets garnis**. Laissez mariner 1h.

• Placez le **bœuf** avec la marinade dans une cocotte en fonte. Faites cuire à couvert 2 h à feu doux à partir de l'ébullition.

• Ajoutez les **anchois** et la moitié de leur huile, poivrez. Dégustez avec des pâtes.

RATATOUILLE AUX ŒUFS

Tomates
x 6

Courgettes
x 3 (moyennes)

Œufs
x 6

Aubergine
x 1 (grosse)

Huile d'olive
5 cuil. à soupe

Vinaigre balsamique
2 cuil. à soupe

Sel, poivre

Préparation : 10 min
Cuisson : 35 min

• Lavez et coupez les légumes en morceaux.
• Mettez les **tomates**, les **courgettes**, les **aubergines** et l'**huile** dans une cocotte en fonte. Faites cuire 25 min, en remuant régulièrement. Salez et poivrez.
• Cassez les **œufs** sur la ratatouille. Couvrez et faites cuire 10 min de plus. Ajoutez le **vinaigre** et dégustez.

FRICASSÉE DE POULET AUX CREVETTES

Crevettes roses
x 18 (cuites)

Gaspacho
1 l (frais ou surgelé)

Poulet
12 pilons

Estragon
1 botte

 **Sel, poivre**

☨☨☨☨☨☨

🕐

Préparation : 5 min
Cuisson : 45 min

• Mettez les **pilons** et le **gaspacho** dans une cocotte en fonte. Faites cuire à couvert 45 min à feu doux à partir de l'ébullition, en remuant de temps en temps.

• Décortiquez les **crevettes** et ajoutez-les dans la sauce. Ajoutez les feuilles d'**estragon**, salez, poivrez et servez dans la cocotte.

• Dégustez avec des pâtes.

RAGOÛT DE COQUILLES SAINT-JACQUES

Coquilles Saint-Jacques
x 16 (avec ou sans corail)

Champignons de Paris
500 g

Lard fumé
2 tranches épaisses

Crème liquide
33 cl

Estragon
1 botte

Sel, poivre

3 cuil. à soupe
d'huile neutre

Préparation : 5 min
Cuisson : 15 min

- Coupez le **lard** en gros lardons et saisissez-les à feu vif dans une cocotte en fonte avec l'**huile** et les **champignons** coupés en 4.
- Ajoutez la **crème**, les **saint-jacques**, salez et poivrez. Faites cuire 5 min de plus. Ajoutez l'**estragon** coupé grossièrement et dégustez avec des pâtes.

JOUES DE LOTTE AUX OLIVES

Joues de lotte
700 g

Olives noires
100 g

Tomates
x 4

Tapenade
90 g

  Sel, poivre

⏱

Préparation : 5 min
Cuisson : 30 min

- Coupez les **tomates** en 4.
- Mettez tous les ingrédients dans une cocotte en fonte avec 20 cl d'eau et mélangez. Faites cuire à couvert 30 min à feu doux, en remuant de temps en temps.
- Salez, poivrez et dégustez avec des pâtes.

MOULES À LA TOMATE

Moules
2 l

Tomates concassées
1 boîte (800 g)

Bouquets garnis
x 2

Vin rosé
20 cl

 Poivre

 1 filet d'huile d'olive

Préparation : 5 min
Cuisson : 10 min

• Mettez tous les ingrédients dans une cocotte en fonte. Faites cuire 10 min à feu doux en remuant de temps en temps. Lorsque les **moules** sont ouvertes, arrosez d'un filet d'**huile d'olive**, poivrez.

• Dégustez nature ou avec des pâtes.

ENCORNETS AU PASTIS

Encornets
x 10 (frais et vidés)

Olives noires
x 20 (à la grecque)

Huile d'olive
4 cuil. à soupe

Anisette
10 cl

Thym
4 branches

Préparation : 5 min
Cuisson : 30 min

• Mettez tous les ingrédients dans une cocotte en fonte. Faites cuire à couvert 30 min à feu doux, en remuant de temps en temps.

• Dégustez avec du riz.

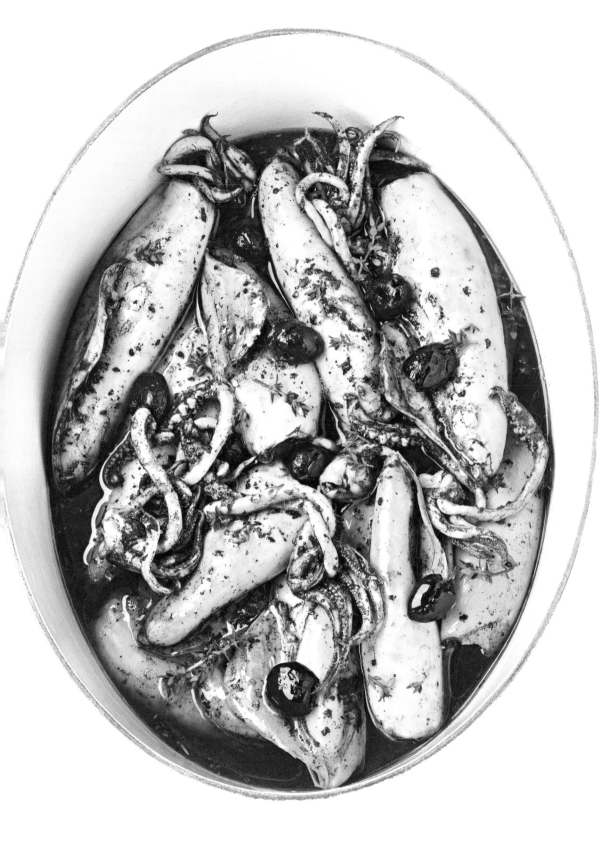

LOTTE À LA TOMATE ET À L'ORIGAN

Queue de lotte
x 1 (1 kg, coupée en tranches)

Tomates cerise
1 barquette (250 g)

Vin blanc
x ½ bouteille

Origan séché
2 cuil. à soupe

🧂🧂 **Sel, poivre**

👤👤👤👤👤👤

🕐

Préparation : 5 min
Cuisson : 25 min

• Mettez tous les ingrédients dans une cocotte en fonte. Ajoutez 10 cl d'eau, salez, poivrez et laissez cuire 25 min à partir de l'ébullition à feu doux et à couvert.

• Servez directement dans la cocotte et dégustez avec de la semoule.

BOUILLABAISSE DE POULPE

Poulpe
x 1 (1,2 kg)

Safran
3 dosettes

Tomates
x 4

Bouquets garnis
x 2

Oignons doux
x 2

👤👤👤👤

🕐

Préparation : 5 min
Cuisson : 1 h

• Coupez le **poulpe** en morceaux. Coupez les **tomates** en 4. Épluchez et émincez les **oignons**.

• Mettez tous les ingrédients dans une cocotte en fonte avec 30 cl d'eau. Faites cuire à couvert 1 h à partir de l'ébullition à feu doux.

• Dégustez avec des pommes de terre à l'eau.

COQUILLAGES À LA CRÈME DE BASILIC

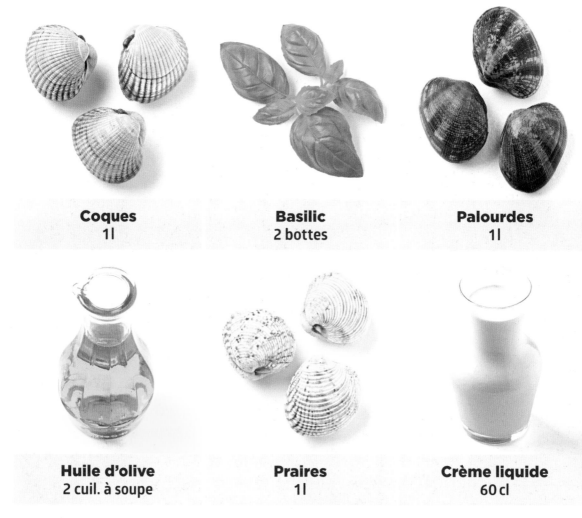

Coques
1 l

Basilic
2 bottes

Palourdes
1 l

Huile d'olive
2 cuil. à soupe

Praires
1 l

Crème liquide
60 cl

Poivre

👤👤👤👤👤👤

Préparation : 10 min
Cuisson : 10 min

• Nettoyez les **coquillages**. Mettez-les dans une cocotte en fonte avec la **crème** et l'**huile d'olive**. Faites cuire à couvert 5 à 10 min, jusqu'à ce que les **coquillages** s'ouvrent.

• Ajoutez le **basilic** coupé grossièrement, poivrez et mélangez. Hors du feu, remettez le couvercle, attendez 5 min et dégustez.

• Dégustez nature ou avec des pâtes.

LOTTE À LA CRÈME SAFRANÉE

Queue de lotte
x 1 (1 kg, sans la peau)

Chou vert frisé
x ½

Poitrine fumée
6 fines tranches

Safran
2 dosettes

Crème liquide
80 cl

 Poivre

👤👤👤👤

🕐

Préparation : 10 min
Cuisson : 30 min

• Enveloppez la **lotte** avec les tranches de **poitrine fumée**. Déposez-la dans une cocotte en fonte. Ajoutez le **chou** en morceaux.

• Mélangez la **crème** avec le **safran** et versez-la dans la cocotte. Ajoutez 10 cl d'eau. Faites cuire à couvert 30 min à feu doux.

• Poivrez et dégustez avec des pommes de terre vapeur.

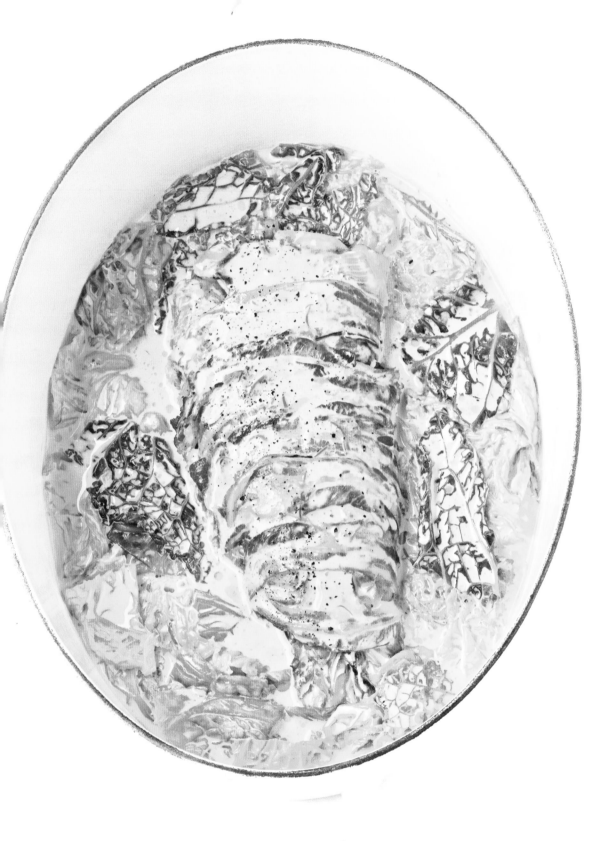

TAGINE DE CREVETTES

Crevettes roses
600 g (crues et décortiquées)

Courgettes
x 2

Oignon rouge
x 1

Cumin
1 cuil. à soupe

Citron confit
x 1

Ras-el-hanout
2 cuil. à soupe

 Sel

 1 filet d'huile d'olive

Préparation : 5 min
Cuisson : 25 min

- Mélangez les **crevettes** avec le **ras-el-hanout**
- Mettez les **courgettes** et le **citron** coupés en morceaux, l'**oignon rouge** en lamelles, le **cumin** et 20 cl d'eau dans une cocotte en fonte. Faites cuire à couvert 20 min à feu doux. Ajoutez les **crevettes** et faites cuire 5 min de plus.
- Salez et dégustez avec un filet d'**huile d'olive** avec de la semoule.

INDEX DES RECETTES PAR INGRÉDIENT PRINCIPAL

SIMPLISSIME

6,95€

LA COLLECTION DE LIVRES DE CUISINE QUI VA CHANGER VOTRE VIE

J.-F. Mallet
SIMPLISSIME
SOUPES ET BOUILLONS REPAS
LES + FACILES
DU MONDE
hachette CUISINE

J.-F. Mallet
SIMPLISSIME
SALADES COMPLÈTES
LES + FACILES
DU MONDE
hachette CUISINE

J.-F. Mallet
SIMPLISSIME
TERRINES ET FOIES GRAS
LES + FACILES
DU MONDE
hachette CUISINE

ET AUSSI L'APPLI...

J.-F. Mallet
SIMPLISSIME
RECETTES VÉGÉTARIENNES
LES + FACILES
DU MONDE
hachette CUISINE

J.-F. Mallet
SIMPLISSIME
LES COCOTTES
LES + FACILES
DU MONDE
hachette CUISINE

J.-F. Mallet
SIMPLISSIME
RECETTES AU CUIT-VAPEUR
LES + FACILES
DU MONDE
hachette CUISINE

J.-F. Mallet
SIMPLISSIME
APÉROS
LES + FACILES
DU MONDE
hachette CUISINE

J.-F. Mallet
SIMPLISSIME
RECETTES DE GIBIER
LES + FACILES
DU MONDE
hachette CUISINE

●●○○ Bouygues 4G   11:51   35 %
SIMPLISSIME   Partager

SALADE DE BŒUF RÔTI AU BASILIC

4 personnes
Préparation : 15 minutes
Cuisson : 5 minutes
Poivre

Tout voir   Rechercher   Mes favoris   + Encore

AVEC VOUS PARTOUT, VOS RECETTES ET LISTES D'INGRÉDIENTS !

Pour Androïd et IOS

Nous remercions Le Creuset pour le prêt des cocottes
qui ont servi à la réalisation des recettes de ce livre.

© 2017, Hachette Livre (Hachette Pratique).
58, rue Jean Bleuzen – 92178 Vanves Cedex

Pour l'éditeur, le principe est d'utiliser des papiers composés de fibres naturelles,
renouvelables, recyclables et fabriqués à partir de bois issus de forêts
qui adoptent un système d'aménagement durable. En outre, l'éditeur attend
de ses fournisseurs de papier qu'ils s'inscrivent dans une démarche de certification
environnementale reconnue.

Direction : Catherine Saunier-Talec
Responsable artistique : Antoine Béon
Responsable éditoriale : Céline Le Lamer
Conception graphique et mise en pages : Marie-Paule Jaulme
Assistante d'édition : Albane Destrez
Photogravure : RVB
Fabrication : Amélie Latsch
Responsable partenariats : Sophie Morier (smorier@hachette-livre.fr)

Dépôt légal : février 2017
7644952/01
ISBN : 9782019497866
Imprimé en Espagne par Estella en novembre 2016
www.hachette-pratique.com

PAPIER À BASE DE
FIBRES CERTIFIÉES

1,1 kg q. CO₂
Rendez-vous sur
www.hachette-durable.fr